作繪者／**鈴木守**

一九五二年出生於日本東京。東京藝術大學肄業。

主要繪本作品有《公車來了》、《渡雪》、《向前看、向旁看、向後看》、

《有趣的動物圖鑑》、《赫爾辛家的太陽日記》、《時光飛吧》、

《大家以前都是小嬰兒》、《鳥巢》、《世界鳥巢》、《找到鳥巢了》、

《鳥巢研究筆記》、《我的鳥巢繪畫日記》等。

曾以《黑貓五郎》系列榮獲紅鳥插圖獎。

● 封面 ● 雲梯消防車　● 封底 ● 水箱消防車
● 書名頁 ● 屈折雲梯車

消防車來滅火

文·圖／鈴木守　翻譯／陳昕

發生火警了。
快打電話給 119。

水箱消防車來了，
開始灑水。

火舌蔓延到隔壁棟大樓了，
快請求雲梯消防車協助。

雲梯消防車到了，
開始灑水。

警車也來了。
警察先生進行交通管制，
以避免危險。

屈折消防車來了，
開始灑水。

救災指揮車也來了。
屈折消防車，
請進行第四次灑水。

屋頂上有人。
救災救護大隊
請立刻出動。

救災車和

救ㄐㄧㄡ 災ㄗㄞ 車ㄔㄜ 和ㄏㄢ

救助袋車來了。

救災救護大隊用圓盤切割器，
將屋頂的鐵絲網割斷。

大家順著救助袋往下滑，
順利獲救。

救護車將受傷的人
送往醫院。
喔咿─，喔咿─。

糟糕！
火勢蔓延到後山了。
消防車出動。

消防直昇機出動。

從空中
一口氣灑下水。
火勢慢慢
被撲滅了。

啊！樹枝上
有一隻小熊。

太好了，
火被撲滅了，
小熊也平安獲救。

滅ㄇㄧㄝˋ火ㄏㄨㄛˇ行ㄒㄧㄥˊ動ㄉㄨㄥˋ結ㄐㄧㄝˊ束ㄕㄨˋ。

かじをけす じどうしゃ

繪本・0306

消防車來滅火

文、圖｜鈴木守 翻譯｜陳昕

責任編輯｜黃雅妮、張佑旭 封面設計｜晴天 行銷企劃｜林思妤

天下雜誌創辦人｜殷允芃 董事長兼執行長｜何琦瑜

兒童產品事業群 副總經理｜林彥傑 總編輯｜林欣靜 主編｜陳毓書 版權主任｜何晨瑋、黃微真

出版者｜親子天下股份有限公司 地址｜台北市 104 建國北路一段 96 號 4 樓 電話｜（02）2509-2800 傳真｜（02）2509-2462

網址｜www.parenting.com.tw 讀者服務專線｜（02）2662-0332 週一～週五：09:00~17:30

讀者服務傳真｜（02）2662-6048 客服信箱｜parenting@cw.com.tw

法律顧問｜台英國際商務法律事務所・羅明通律師

製版印刷｜中原造像股份有限公司 總經銷｜大和圖書有限公司 電話（02）8990-2588

出版日期｜2012 年 5 月第一版第一次印行
　　　　　2022 年 11 月第二版第一次印行

定價｜280 元 書號｜BKKP0306P ISBN｜978-626-305-323-6（精裝）

訂購服務 ──────────

親子天下 Shopping｜shopping.parenting.com.tw

海外・大量訂購｜parenting@cw.com.tw

書香花園｜台北市建國北路二段 6 巷 11 號 電話（02）2506-1635

劃撥帳號｜50331356 親子天下股份有限公司

立即購買 >

 Sh♥pping

國家圖書館出版品預行編目（CIP）資料

消防車來滅火／鈴木守文．圖；陳昕翻譯．--
第二版．-- 臺北市：親子天下股份有限公司，
2022.11
40 面；15x17.7 公分．--（繪本；306）
注音版
譯自：かじをけす じどうしゃ
ISBN 978-626-305-323-6(精裝)
1.SHTB: 認知發展 --3-6 歲幼兒讀物

861.599　　　　　　　111014461